Catalogage avant publication de Bibliothèque et Archives nationales du Québec
et Bibliothèque et Archives Canada

Champagne, Julie, 1981-

Hackerboy

(Collection Zèbre)
Pour les jeunes de 10 à 14 ans.
Texte en français seulement.

ISBN 978-2-89579-381-6

I. Titre.

PS8605.H351H32 2011   jC843'.6   C2011-941175-X
PS9605.H351H32 2011

Dépôt légal – Bibliothèque et Archives nationales du Québec, 2011
Bibliothèque et Archives Canada, 2011

Direction de collection : Carole Tremblay
Révision : Sophie Sainte-Marie
Conception graphique, couverture et pages intérieures : Kuizin

© Bayard Canada Livres inc. 2011

Nous reconnaissons l'aide financière du gouvernement du Canada par l'entremise
du Fonds du livre du Canada (FLC) pour des activités de développement
de notre entreprise.

Conseil des Arts   Canada Council
du Canada   for the Arts

Bayard Canada Livres inc. remercie le Conseil des Arts du Canada du soutien accordé
à son programme d'édition dans le cadre du Programme des subventions globales aux éditeurs.

Cet ouvrage a été publié avec le soutien de la SODEC. Gouvernement du Québec –
Programme de crédit d'impôt pour l'édition de livres – Gestion SODEC.

Bayard Canada Livres
4475, rue Frontenac, Montréal (Québec) H2H 2S2
Téléphone : 514 844-2111 – 1 866 844-2111
edition@bayardcanada.com
bayardlivres.ca

Imprimé au Canada

Offert en version numérique
978-2-89579-874-3
www.bayardlivres.ca

OK   Annuler

Hackerboy

Julie Champagne

Pour Émile, qui m'enseigne chaque jour le bonheur

Hackerboy

Julie Champagne

COLLECTION ZÈBRE

Première visite sur ce blogue?
Vous êtes probablement perdu.
Veuillez vérifier l'adresse du site que
vous cherchez et essayer de nouveau.

Bienvenue sur le blogue de H@ckerB0y...

Votre visite est volontaire ?

Prouvez-le en entrant votre pseudo

et votre mot de passe...

Pseudo : [   ]

Mot de passe : [   ]

OK   Annuler

Pseudo :   H@ckerB0y

Nom véritable :   Alex, pour les intimes

Religion :   Les Pizzas Pochettes

Passe-temps :   Pourrir l'existence des cyberescrocs

Fait d'armes :   Capitaine de l'équipe des Alouettes
                    de Montréal. Du moins, c'est ce que
                    prétend leur site officiel depuis
                    15 minutes...

À propos de moi :   Je suis honnête, populaire
                    et athlétique
                    HAHAHA !

dernière visite : maintenant   pays :   Canada
rang :   admin   sexe :   mâle
downloaded :   17,72 GB   avertissements : 0 (5 = bannissement)
uploaded :   7,84 GB   commentaires :   0

Autres blogueurs (in)dignes de confiance

Pseudo :   BigBang333

Nom véritable :   Max

Religion :   Aucune

Passe-temps :   Court-circuiter les virus,
                    qu'ils soient informatiques ou
                    biologiques

Fait d'armes :   Excepté mon désinfectant pour
                    les mains, je n'ai aucune arme à
                    déclarer

À propos de moi :   Qu'est-ce que vous voulez que
                    je vous dise ? Je suis moi !

dernière visite :	maintenant	pays :	Canada
rang :	admin	sexe :	mâle
downloaded :	17,72 GB	avertissements :	0 (5 = bannissement)
uploaded :	7,84 GB	commentaires :	0

CHAPITRE UN

ROBIN DES BLOGUES

MERCREDI 3 MARS

17 h 33

La politesse voudrait que je commence par des présentations officielles. Mais la politesse, ce n'est pas mon truc. Surtout que, dans mon cas, la question des présentations pose un sérieux problème : j'ai une quantité impressionnante d'identités.

Mes enseignants m'appellent Alexandre Simard. Max,

Alexandre Simard

mon meilleur ami, m'appelle simplement Alex. Ma sœur Léa, treize mois, m'appelle Ahërxtantre, un mot de son invention qui n'est pas sans évoquer la sonorité d'un dialecte slovaque.

Ma mère m'appelle encore son gentil lapin.

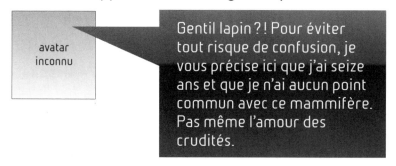

Gentil lapin ?! Pour éviter tout risque de confusion, je vous précise ici que j'ai seize ans et que je n'ai aucun point commun avec ce mammifère. Pas même l'amour des crudités.

Le voisin m'appelle « Hé, toi, le jeune ! ». Et les filles de mon âge ne m'appellent pas souvent.

Mais sur le Net, on me connaît sous le pseudo H@ckerB0y. Inutile d'alerter le ministre de la Sécurité nationale, je ne suis pas un cyberterroriste. Je ne m'infiltre pas dans des sites top secrets dans l'intention de renflouer mon compte de banque. Je ne veux pas prendre le contrôle d'un pays ni d'une multinationale cotée en Bourse.

Je suis un *hacker*. Un traqueur d'escrocs. Un Robin des Blogues. Mais sans le costume ridicule, je vous rassure.

Mon mode de fonctionnement? Je pourchasse les fraudeurs en ligne et je fais semblant de tomber dans leur piège. Alors qu'ils croient tenir une proie facile, je leur fais perdre temps et argent. En prime, je les rends complètement fous.

Je pourrais bien vous dire que mon but premier est de protéger les autres victimes potentielles. Que je veux simplement accumuler des preuves afin de les diffuser sur mon blogue, par pur altruisme. Mais ce ne serait pas 100 % vrai. Mes intentions sont principalement égoïstes.

Je suis un *hacker* parce que j'adore repousser mes limites. Parce que le défi m'amuse. Parce que j'en ai envie et que j'en suis capable. Un point, c'est tout.

Je me distingue des autres pirates informatiques par mon code de conduite. Un genre d'éthique professionnelle, si vous voulez. Je travaille en solo, dans l'anonymat le plus absolu. Je n'ai aucun lien avec les communautés de *hackers*, ni avec les forces de l'ordre. Je ne suis pas un justicier. Je joue au justicier. Et le Web est mon terrain de jeu.

CHAPITRE DEUX

LA CHASSE EST OUVERTE

JEUDI 4 MARS

21 h 13

La bouche entrouverte, je fixe le mur de ma chambre. Après deux heures, vingt-trois minutes et quatorze secondes de travail acharné, je suis toujours incapable de distinguer un monôme d'un polynôme. Non pas que la chose me captive, mais mon professeur de mathématiques semble croire qu'il s'agit d'une compétence capitale pour tout être humain soucieux de réussir sa vie. Une excellente nouvelle pour mon avenir, en somme…

Je vous précise tout de suite que mon parcours scolaire est aussi mouvementé qu'un jeu de serpents et échelles. J'ai été étiqueté comme un cas difficile

Aucun animal ne sera maltraité pendant ce chapitre. Pas même la souris.

avant même mon entrée en maternelle. Semblerait que je boudais les directives et que je me désintéressais complètement des activités proposées.

Entre vous et moi, quel genre d'enfant se passionne pour la confection de colliers en macaronis?!

Résultat de mes efforts, j'ignore toujours comment résoudre une expression algébrique de type :

$$P(X) = \sum_{i=0}^{n} a_i X$$

Le pire, c'est que je m'en fous un peu...

Mais ne vous inquiétez pas, ma soirée n'a pas été perdue pour autant. J'ai même acquis de nombreuses connaissances dont je partage l'essentiel avec vous :

– Ben Savard et Isa Pelletier sont maintenant amis sur Facebook.
– Il fait actuellement 25°C à Ouagadougou.

– Les chips au ketchup contiennent deux fois plus de
sucre que les chips au barbecue.
– Il y a quatre grains de beauté sur le bras droit de
Jessica Alba.

Qu'on ne vienne jamais me dire que je ne suis pas une
mine d'informations.

Mais assez bavardé. Avant de dormir, je m'offre
toujours une petite partie de chasse aux cyberescrocs.
Voici enfin venu le moment préféré de ma journée.
Dans un élan d'enthousiasme, je ferme mon livre de
mathématiques et tente de le projeter directement
dans mon sac à dos, façon panier de basket.

Raté.

Le manuel entre en collision avec une vieille canette
de boisson gazeuse qui traîne sur ma commode. Le
liquide brun éclabousse le mur et le t-shirt que je
souhaitais porter demain. Par chance, je ne misais pas
trop sur une carrière dans la NBA…

J'allume mon ordinateur et j'ouvre ma boîte de courriel.

Vous aurez évidemment compris que je dois emprunter plusieurs identités virtuelles, question de ne pas me faire démasquer par mes victimes. Les fraudeurs sont parfois abrutis, mais pas au point de se laisser berner par un dénommé H@ckerB0y.

Par mesure d'efficacité, j'ai trafiqué la configuration de mes comptes de messagerie afin de centraliser tous mes courriels en un seul endroit. Il suffit de quelques manipulations informatiques, une opération toute simple. Enfin, pour moi.

J'entre mon adresse et mon mot de passe.

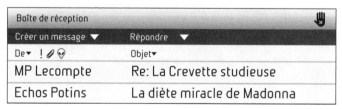

Tiens, tiens... La soirée pourrait être plus divertissante que prévue.

Si vous mourez d'envie de connaître tous les détails du nouveau régime sans calorie de Madonna, veuillez quitter mon blogue et vous abonner au magazine Échos Potins. Mais si vous souhaitez me voir coincer une fraudeuse qui essaie de vendre des pseudo-pilules énergisantes, poursuivez votre lecture.

CHAPITRE TROIS

ET QUE CA SAUTE!

21 h 24

Mon aventure a débuté par cet intrigant bandeau
publicitaire placé sur Facebook.

Besoin d'un remontant ?

- L'école vous ennuie ?
- Vous ronflez sur vos devoirs ?
- Vos résultats scolaires fracassent
  des records de nullité ?

Peut-être souffrez-vous de fatigue académique,
un mal mystérieux qui frappe des
milliers d'étudiants partout
dans le monde.

La solution ? La Crevette studieuse,
une pilule énergisante révolutionnaire
à base de carapaces de crustacés.
Idéale pour revigorer corps et esprit.

Seulement **499,99 $** pour un pot de 100 comprimés !

Vous croyez que le prix demandé est un brin extravagant? Détrompez-vous. Certains élèves en manque de tonus acceptent de payer des centaines de dollars pour ce genre de coup de fouet mental.

Prenez Max, par exemple. Aveuglé par les folles promesses de la Crevette studieuse, il a dilapidé toutes ses économies pour une poignée de comprimés. Aurait-il le quotient intellectuel du cactus synthétique? Non, il est simplement hypocondriaque. Il croyait dur comme fer que ses derniers échecs scolaires s'expliquaient par ce syndrome à la noix.

Sauf que Max n'a jamais reçu ses comprimés. Aucune nouvelle, aucun appel. Zéro. *Niet. Nada.* La Crevette studieuse est une arnaque publicitaire, un attrape-étudiant.

J'ai donc eu l'idée de venger son honneur en m'amusant au détriment de ces bandits. Personne ne se paie la tête de mon meilleur ami. Excepté moi, de temps en temps. Et c'est seulement pour rire.

J'ai cliqué sur la publicité et j'ai inscrit mes coordonnées en prétendant vouloir des informations. Quelques secondes plus tard, je recevais le courriel d'une vendeuse hyper motivée. Que dis-je, une vendeuse complètement hystérique.

De : MARIE-PIERRE LECOMPTE <MPLecompte@hotmail.com>
À : YVON TREMBLAY <yvontremblay@gmail.ca>
Envoyé : 2011-03-02 15 h 33
Objet : La Crevette studieuse

Monsieur Yvon Tremblay,

[Vous remarquerez que je fais preuve d'humour même dans la création de mes identités virtuelles.]

Je m'appelle Marie-Pierre Lecompte et je réside en banlieue de Paris. Je suis la chimiste-biologiste derrière les pilules énergisantes la Crevette studieuse.

[Si cette femme est une scientifique, je suis le nouveau joueur étoile des Canadiens de Montréal.]

Ces capsules uniques renferment des éléments thymoanaleptiques, tels qu'en contiennent les carapaces des crustacés, ainsi que des essences vibrationnelles provenant d'extraits de plantes herbacées. Chaque essence déclenche une résonance énergétique dans votre organisme en stimulant les flux de votre champ électromagnétique.

[Blablabla…. Typique des menteurs : ils se perdent toujours dans des justifications abracadabrantes.]

Pour 499,99 $, je suis non seulement disposée à vous offrir un pot de 100 comprimés, mais je propose d'ajouter 12 bouteilles de boisson énergétique à base de salive de taureau.

[L'objectif de Marie-Pierre ? Encaisser mon argent et prendre la fuite avant que je réalise la supercherie. Sa stratégie ? Me subjuguer en ajoutant une tonne de bidules inutiles.]

Il vous suffit de m'acheminer vos renseignements bancaires.

[Bien sûr. Et une fois que vous aurez ces informations en main, vous en profiterez pour usurper mon identité et vider l'intégralité de mon compte, soit une incroyable fortune de 2,93 $.]

Je vous embrasse,

[Je vous embrasse ?!?]

Marie-Pierre

Si vous êtes un non-initié, mieux vaut détruire illico ce genre de courriel. Mais pour un pirate de mon expérience, cette arnaque est un vrai cadeau du ciel.

 ATTENTION !
Ne pas imiter.
Je suis un professionnel surentraîné.

De : YVON TREMBLAY <yvontremblay@gmail.ca>
À : MARIE-PIERRE LECOMPTE <MPLecompte@hotmail.com>
Envoyé : 2011-03-02 17 h 38
Objet : RE : La Crevette studieuse

Chère amie,

Votre produit m'intéresse grandement, mais ses vertus
énergisantes me laissent perplexe.

Plusieurs rumeurs circulent quant aux effets secondaires
de vos comprimés. Certains consommateurs affirment avoir
perdu toutes leurs dents. D'autres souffraient d'hallucinations
terrifiantes et voyaient leur corps se couvrir de pustules vert
cornichon.

[Moi aussi, je peux inventer des histoires grotesques.]

Je souhaiterais acheter 500 comprimés, mais avant de vous
fournir mes informations bancaires, j'exige des preuves plus
convaincantes de ce que vous avancez.

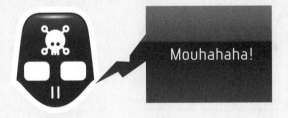

Mouhahaha!

> [En écoutant attentivement, il est fort possible, à ce moment bien précis, d'entendre un chapelet de jurons en provenance de la banlieue parisienne.]

Dans l'attente de vos nouvelles,

Yvon Tremblay

Et maintenant, roulement de tambours, découvrons ensemble le dernier courriel en provenance de notre bien-aimée spécialiste des scampis :

De : MARIE-PIERRE LECOMPTE <MPLecompte@hotmail.com>
À : YVON TREMBLAY <yvontremblay@gmail.ca>
Envoyé : 2011-03-04 20 h 04
Objet : RE : La Crevette studieuse

Cher ami,

Le ton de votre dernier message me laisse croire que vous

doutez de mes intentions.

> [Perspicace.]

Sachez que les vertus des crustacés sont depuis longtemps reconnues par les cultures asiatiques. Étant donné que ma mère est d'origine japonaise, je suis, depuis mon enfance, sensibilisée aux pouvoirs surprenants des crevettes.

[Et quoi encore? Même les mensonges de Pinocchio sont plus crédibles.]

Les études scientifiques démontrent que nos comprimés sont sans effets secondaires.

[Évidemment qu'ils sont sans effets secondaires : ils n'existent pas!]

Un jeune étudiant montréalais nous a récemment fait parvenir son témoignage. Nos suppléments innovateurs lui ont permis de devenir le premier de sa classe. Rien de moins! Je vous envoie sa photo, en guise de preuve.

[Preuve de quoi? Que vous savez utiliser Google Images?]

Il n'y a maintenant plus d'obstacle qui nous empêche de procéder à la transaction.

[Erreur. Je suis le plus grand obstacle que vous n'aurez jamais rencontré.]

MP

En pièce jointe se trouve la photo suivante :

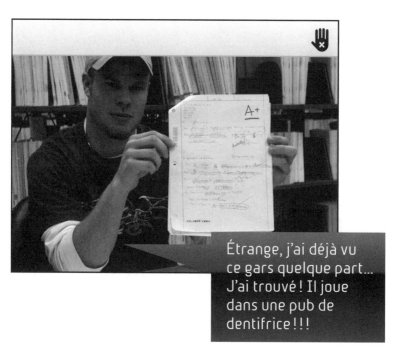

Étrange, j'ai déjà vu ce gars quelque part... J'ai trouvé ! Il joue dans une pub de dentifrice !!!

Assez rigolé. Il est temps de passer à l'étape décisive de mon plan diabolique. J'ouvre un nouveau message et tape le texte suivant :

De : YVON TREMBLAY <yvontremblay@gmail.ca>
À : MARIE-PIERRE LECOMPTE <MPLecompte@hotmail.com>
Objet : RE : La Crevette studieuse

Chère Marie-Pierre,

Je vous remercie pour le bulletin et la photo de votre client. Il me semble non seulement intelligent, mais aussi fort sympathique.

[Pour un figurant...]

Vous n'auriez pas son numéro de téléphone ? Nous pourrions peut-être échanger quelques tuyaux scolaires.

[Qui refuserait une conversation autour d'un appétissant cocktail de crevettes thymoanaleptiques ?]

Je vous envoie en pièce jointe le numéro et la date d'expiration de ma carte de crédit. Je vous prie d'acheminer ma commande le plus rapidement possible. J'ai un examen de mathématiques dans quelques jours et les équations algébriques me causent bien des maux de tête.

Yvon

Vous aurez compris que je ne suis pas assez crétin pour partager mes informations bancaires avec le premier pirate venu. Le document joint est en fait un logiciel de mon invention, le programme Skara-B. Sa configuration est telle que même un crack de l'informatique ne remarquerait rien de louche.

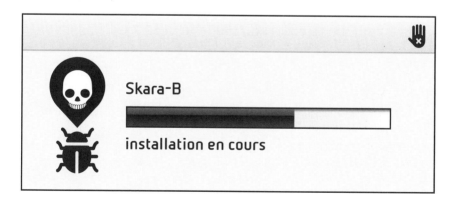

Skara-B

installation en cours

Et pourtant… Une fois ouvert, Skara-B paralyse la boîte de courriel du destinataire et me permet de consulter tous ses messages, en direct du confort de ma chambre. Ni vu ni connu.

22 h 03

Je termine ma petite collation nocturne quand je remarque, à ma grande surprise, que le programme Skara-B a déjà été exécuté. Elle l'ignore encore, mais Miss Crustacé vient de commettre la pire gaffe de sa vie.

Je me demande si je dois réagir ou patienter un peu… L'étudiant en moi, ennuyeux comme un match de pétanque en rediffusion, croit qu'il serait plus sage de se coucher. Après tout, il ne faudrait pas que mes passe-temps affectent ma réussite scolaire.

Le *hacker* en moi, plus rebelle, se contrefiche d'être en forme demain. Il veut vivre des sensations fortes, muscler son cerveau. Et pour stimuler ses neurones, mieux vaut pourchasser des cyberescrocs que courir après un vulgaire ballon de basketball dans un cours d'éducation physique…

Dilemme résolu!

Je tape les commandes sur mon clavier et prends le contrôle de la messagerie. En quelques clics, j'efface la liste de contacts, je supprime les dossiers en cours, j'élimine tous les numéros de cartes de crédit... Bref, je fous le bordel dans les affaires de la Crevette studieuse. Mouhahaha!

Je m'apprête à fermer mon ordinateur quand un courriel entrant retient mon attention :

De : HAKATTAK <HaKAttaK@gmail.ca>
À : MARIE-PIERRE LECOMPTE <MPLecompte@hotmail.com>
Envoyé : 2011-03-04 22 h 15
Objet : Opération Passoire – 434713
Rappel de la mise à jour – 0503720.

HaKAttaK? Opération Passoire – 434713?
Cette histoire ne me dit rien qui vaille...

Malheureusement, il est trop tard pour mener l'enquête. Si ma mère découvre que je ne dors toujours pas, elle me réduira en mousse aux crevettes. Mieux vaut me mettre au lit. Il en va de ma sécurité.

 Rappel de la mise à jour – 0503720.

CHAPITRE QUATRE

SOURIEZ, VOUS ÊTES SURVEILLÉ

VENDREDI 5 MARS

2 h 51

Je viens de faire un rêve un peu troublant. Je naviguais avec un pirate hideux sur une mer d'équations algébriques. Au lieu d'un perroquet, le bandit portait une souris sur son épaule. Pire encore, le terrifiant petit rongeur chantait *La Cucaracha* en grignotant des crottes au fromage. Inquiétant.

C'est grave, docteur?!

2 h 58

Il faut que je me rendorme au plus vite. Chaque fois que j'accumule un déficit de sommeil, je m'attire des ennuis. Pas que je sois un enfant sage en temps normal, mais disons simplement que, la dernière fois où j'ai souffert d'insomnie, je me suis endormi en plein examen de géographie. Mes ronflements ont non seulement alerté le professeur, mais aussi le directeur de l'école qui passait justement dans le couloir, par le plus grand des hasards. Mon jour de chance.

3 h 15

Fait intéressant : selon le prestigieux cyberdictionnaire des rêves, le personnage du pirate symbolise un mauvais présage. Pour ce qui est de la vermine mangeuse de crottes au fromage, le mystère reste entier.

4 h 22

Vous voulez connaître mon interprétation personnelle de l'énigme des crottes au fromage ? Je n'aurais pas dû engouffrer un plein sac de Cheetos avant de me coucher. Tout simplement. La prochaine fois, je prendrai une collation plus santé : des chips au barbecue. Après tout, ils contiennent deux fois moins de sucre que les chips au ketchup.

4 h 58

Non, je ne dors pas encore.

5 h 07

Toujours pas.

5 h 11

J'imagine que les mauvaises langues diront que le sommeil me gagnerait plus facilement si je fermais mon ordinateur une fois pour toutes. Les bonnes langues, elles, auront l'intelligence de se taire.

5 h 15

J'abandonne. Impossible de trouver le repos. Mon esprit ne cesse de penser au HaKAttaK. Je dois tirer cette affaire au clair. Mon sommeil en dépend.

Je pars pour l'école dans deux heures. Si je commence mes recherches maintenant, je pourrai régler le dossier avant mon départ et me concentrer entièrement sur l'acquisition de notions scolaires de la plus haute importance, comme la conjugaison des verbes au subjonctif imparfait ou le modèle atomique d'éléments supraconducteurs.

Je blague…

Laissez-moi vous expliquer les combines qui se produiront bientôt sous vos yeux admiratifs. Lorsque deux ordinateurs communiquent entre eux, il y a un échange d'informations. Il est possible, pour une personne malveillante et passablement douée, d'intercepter ce trafic et de découvrir des renseignements délicats. Ici, les aspirations d'un groupe de pirates.

Par chance, je compte parmi les *hackers* capables d'effectuer cette manœuvre de haute voltige. Rassurez-vous, je n'ai pas la plus petite intention de jouer les enquêteurs de police. Je suis seulement curieux de me mesurer au HaKAttaK, informatiquement parlant.

Je pianote sur mon clavier. Je me sens comme l'agent Jason Bourne, mais sans la charpente de Matt Damon.

Avec mon poids plume, je pourrais facilement me cacher derrière un portemanteau.

Après plus d'une heure de démarches infructueuses, une fenêtre s'ouvre. On exige un mot de passe. Pas de problème : je suis confiant de trouver. Certains pirates utilisent des logiciels téléchargeables sur Internet pour tester les différentes combinaisons possibles. Pas moi. J'ai créé mon propre programme, beaucoup plus rapide et efficace.

Le mot de passe « dzL4¢1s_M3 » provoque finalement une réaction.

Connecté comme_admin

 Accès accordé

GAGNÉ!

Sur mon écran défile les informations que la machine de Marie-Pierre Lecompte échange avec les autres ordinateurs. Mon logiciel décrypte les données en temps réel et me les transmet dans un format plus convivial.

Si je me fie à la vitesse des échanges, un dialogue virtuel semble se dérouler en ce moment même. Le courriel de la veille me revient soudainement à l'esprit.

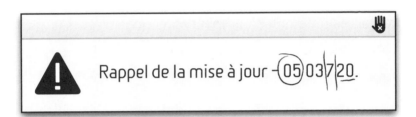

Rappel de la mise à jour – ⑤03/7/20.

5 mars, 7 h 20. Maintenant.

Mes pulsations cardiaques redoublent.

EXTERNE : Nous n'avons pas droit à l'erreur. L'Opération Passoire – 405322 est capitale pour réunir les piliers du HaKAttaK.

[Je vous gage une poutine extra-fromage que ces pirates prévoient escroquer les internautes en commercialisant une fausse ligne de spaghetti minceur.]

MPLECOMPTE : Les choses avancent bien. Le SCC a été infiltré par le mouchard. Nous pouvons maintenant croiser les informations sur les utilisateurs des établissements canadiens visés et prendre le contrôle de toutes les interfaces en simultanée pour une paralysie totale des systèmes de sécurité.

[Les membres du HaK AttaK ne préparent pas une nouvelle gamme de produits amaigrissants, ils manigancent une attaque nationale !!!]

MPLECOMPTE : Nous avons pénétré les entrailles informatiques de Beaver Hill, Drumheller, Westmorland, Millhaven et...

EXTERNE : STOP! Code rouge. Agent virtuel détecte une adresse non autorisée. Conversation actuellement sous surveillance.

[Meeeeerde !]

Les mains tremblantes, je saisis la souris et ferme brusquement la fenêtre. La sueur perle sur mon front. Les battements de mon cœur résonnent en Dolby Stereo.

Je fixe mon écran d'ordinateur comme une marmotte tétanisée devant les phares d'une voiture.

Autant sortir de ce cauchemar au plus vite. J'essaie de fermer la machine. En vain.

L'écran fige. L'appareil refuse de répondre aux commandes habituelles. J'ai beau tenter de débrancher, rebrancher, démarrer... Peine perdue. L'ordinateur vient de rendre son dernier soupir en direct.

Un rire de joker me fait sursauter. Un *pop-up* horrifiant clignote sur mon écran :

Les membres du HaKAttaK m'ont retracé. Génial. Avec un peu de chance, tous les cyberescrocs de la Toile connaîtront bientôt ma véritable identité et je pourrai faire une croix sur ma vie.

Pas le temps de réaliser mon triste sort (une bande de cyberterroristes me pourchassent) et d'en mesurer les implications (une mort imminente et douloureuse).

Le téléphone sonne.

Mon sang se glace. Ma vie est officiellement terminée.

CHAPITRE CINQ

TENDU AU MAX

7 h 22

Pas de panique. Il suffit de ne pas répondre et ce regrettable malentendu se réglera comme par enchantement.

Maman, hurlant au pied de l'escalier : Alex, mon lapin, c'est pour toi !

De mieux en mieux. Non seulement ma mère me livre en pâture à la cybermafia, mais, en plus, elle me ridiculise en leur dévoilant mon surnom.

Je décroche le combiné et m'éclaircis la voix. Euh... Comment doit-on saluer ses futurs assassins ?

Moi, au bord de l'évanouissement : Oui, allô ?

Voix masculine, visiblement énervée : Qu'est-ce que tu fous ?! ? Ton cellulaire est fermé. Je t'attends dehors depuis dix minutes. Je risque de me retrouver avec des engelures aux orteils si tu ne descends pas tout de suite.

C'est Max. Il se croit toujours en danger de choc hypothermique, même si le soleil surchauffe.

Non, attendez, je reformule. Max se croit toujours en danger, point à la ligne.

Selon ses dires, Max aurait eu une variole, un cancer du lobe d'oreille, une infection du sourcil droit et une tumeur maligne au cervelet. Le tout au cours du mois dernier.

Moi, plein d'esprit malgré mes dernières émotions : Des engelures, j'en doute. Mais une copie de vingt pages pour cause de retard en anglais, je veux bien le croire.

Max : OK, je t'attends, mon lapin !

Merci, mon ex-meilleur ami.

Je raccroche et me prépare en vitesse. Tant pis pour la douche. J'enfile simplement un jeans difforme, j'attrape mon sac à dos et je dévale l'escalier comme un bulldozer en chute libre.

Max piaffe d'impatience sur le seuil de la porte. À ma vue, il prend un air affolé.

Max : Tu te sens bien ? ! On dirait que tu te cherches une place pour mourir.

De la part d'un hypocondriaque au teint phosphorescent, la remarque a de quoi inquiéter.

Moi, ironique : Super bien ! Je viens tout juste de surprendre une conversation clandestine entre deux cyberterroristes complètement désaxés.

Max, incapable de déceler le moindre sarcasme : Génial !

Moi, piqué au vif : C'est tout, sauf génial ! Leur agent de surveillance a détecté la présence de mon ordinateur.

Max, refusant toujours de comprendre : Et alors ?

J'adore Max, mais il faut reconnaître qu'il est parfois un peu dur à la détente.

Moi, gesticulant comme un pantin désarticulé : Et alors des gorilles sans scrupule m'accusent – non sans raison – de traficoter sur leur site sans consentement. Ils ont même bogué mon ordinateur pour me menacer !

Max, les yeux dans la graisse de bacon : Wow ! Je me demande quel type de logiciels ils utilisent pour créer ce genre de virus...

Moi, en mode panique : Tu veux que je te présente au chef de la bande ou quoi ?!

Max, sortant enfin de son état de veille : Bon, bon... Qu'est-ce que tu sais de leurs intentions, au juste ?

Moi, déployant de gigantesques efforts de concentration :

Pas grand-chose. Ils parlaient de SCC, de mouchard, de systèmes de sécurité, de villes que je ne connais pas… Beaver Hill, Drumheller, Westmorland, Millhaven. Le nom du plan était codifié et, c'est étrange, le numéro de référence était différent de celui d'hier.

Je les ai notés :

CHAPITRE SIX

LE RIDICULE NE TUE PAS

8 h 13

Les cours commencent dans quinze minutes. Ce qui veut dire que j'ai amplement le temps de passer à la cafétéria.

Certains pourraient croire que mon degré de stress me couperait l'appétit. Erreur. J'estime qu'il n'existe rien de plus réconfortant qu'un déjeuner sain et nutritif.

Moi, affamé au comptoir : Trois chaussons aux cerises et un punch aux agrumes, s'il vous plaît.

À la table voisine, Triple-Mou, un étudiant redoublant, entretient amoureusement ses mentons en engouffrant trois bagels extra-fromage.

J'imagine que TM a un autre prénom, mais il m'est impossible de m'en souvenir.

L'hippopotame me remarque. Il abandonne son activité masticatoire et tente de déplacer ses nombreux kilos dans ma direction. Pas une mince affaire…

Triple-Mou, les bras croisés comme Monsieur Net : Beau chandail, le mollusque. Tu voulais mettre tes biceps de perruche en valeur ?

Beau chandail ? Qu'est-ce qu'il me raconte, le cachalot ? !

Je suis sur le point de lui balancer une de mes répliques cinglantes quand je surprends mon reflet dans la vitre. J'écarquille les yeux. Ce que je vois dépasse tous mes pires cauchemars vestimentaires : j'ai conservé le haut de mon pyjama ! Et pas n'importe quel pyjama, celui avec Harry Potter qui ouvre la cage de sa chouette Hedwige.

Pour ma défense, c'était un cadeau de ma grand-mère. Pour mon quatorzième anniversaire. Offert devant tous mes amis. La pauvre ignorait qu'il s'agissait d'un présent à mourir de honte pour les plus de six ans...

Moi, tentant de préserver les dernières miettes de ma dignité : Au moins, mes biceps ne se cachent pas sous trente kilos de graisse depuis mon entrée en prématernelle...

Bouche ouverte, salivant à loisir, Triple-Mou émet d'étranges bruits nasaux. Le cétacé n'a pas l'air ravi-ravi, mais semble ignorer ce qu'il convient de répondre. Je me sauve avant que la lumière se fasse dans son cerveau de pois chiche.

Je fonce vers les casiers. Dans sa lutte incessante contre les germes, Max s'enduit les mains de désinfectant. Si vous voulez mon avis, c'est son cerveau qu'il devrait badigeonner...

Moi, fulminant : Tu aurais pu me dire que je portais encore mon pyjama!!!

Max, imperturbable : Je pensais que c'était une décision volontaire.

Bien vu, la taupe.

Moi : Tu n'as pas remarqué que je me baladais en public dans un accoutrement ridicule?!

Max, dévorant un chausson : Euh… Pas plus ridicule que d'habitude. Tu as le même look depuis la deuxième année du primaire…

Si je n'entretenais pas moi-même de sérieux doutes quant à mon style vestimentaire, je m'offusquerais sûrement de ce commentaire désobligeant.

Moi, prévenant : À l'avenir, merci de m'avertir quand je me ridiculise en public.

Max : Tu as de la confiture au coin des lèvres…

Pitié, est-ce que je peux retourner me coucher?

11 h

Avec mon sarrau et mes lunettes de protection, je fais mine de me passionner pour la distillation d'une solution saline. Pourtant, sous cet air d'étudiant studieux, la réalité est tout autre. Je ne cesse de penser au plan machiavélique du HaKAttaK.

Je crois dur comme fer que le code numérique a une signification. Mais laquelle? Serait-ce le numéro de la carte de crédit du premier ministre? Une citation biblique? Le numéro de téléphone de leur pizzeria favorite? Et pourquoi le numéro avait-il changé ce matin?

J'en suis à ces réflexions quand mon professeur de science physique tente de me remettre sur le droit chemin :

– Alexandre, lorsque l'ébullition débute, tu ne dois pas attendre plus de soixante secondes avant de noter la température.

La remarque déclenche un signal d'alarme dans mon cerveau.

Jeudi, 22 h 15, le code était 434713. Ce matin, à 6 h 25, il était 405322. Une différence de 29391…

$$
\begin{array}{r}
434\ 713 \\
-\ 405\ 322 \\
\hline
29\ 391
\end{array}
$$

29 391 / 60 = 489,85 MINUTES

489,85/60 = 8 HEURES ET ENVIRON 10 MINUTES

J'ai trouvé : les chiffres représentent un décompte en secondes!!!

Si mes calculs sont exacts, le mystérieux projet des cybercriminels aurait lieu le 8 mars, vers 23 h. Et gageons qu'il ne s'agit pas de leur pique-nique annuel…

Inutile d'applaudir. Mais j'accepte les billets de cent dollars.

CHAPITRE SEPT

QUEL BORDEL!

16 h 43

Ce que j'apprécie le plus du collège, c'est la fin des classes. Elles se terminent si tôt que je peux me prélasser devant la télévision avant le débarquement familial.

Avachi devant une pub de yogourt, j'entrevois le dossier HaKAttaK avec un nouvel optimisme. Oui, un obscur gang de pirates m'a surpris en flagrant délit d'espionnage. Et alors ? Si ça se trouve, ils vivent à des kilomètres de chez moi, au beau milieu d'un champ de blé albertain ou au sommet d'un gratte-ciel torontois. Il me suffit de réparer l'ordinateur familial et toute cette histoire ne sera qu'un mauvais souvenir.

Après un ravitaillement en Pizzas Pochettes, j'entre dans ma chambre.

Noooooooooooon!

Devant mes yeux se trouve une véritable scène de carnage : sac de chips éventré, affiches lacérées, canettes en aluminium piétinées… Comble de l'horreur, **mon ordinateur a été kidnappé !**
Un massacre, je vous dis!

Au rayon des coupables, je vois trois possibilités :

a) **Maman.** Depuis des semaines, elle me supplie de ranger ma chambre sous peine de la faire déclarer zone sinistrée par la mairie. Il n'est pas impossible qu'elle entreprenne des moyens de pression aussi drastiques.

b) **Triple-Mou.** Il se venge de mon insulte matinale en volant ce que j'ai de plus cher : mon ordinateur. Cette option expliquerait notamment le sac de chips vide.

c) **Les gros bras du HaKAttaK.** Ils ne se terrent pas dans un champ de blé, mais dans un bunker minable situé à quelques kilomètres de chez moi.

En analysant bien la situation, la réponse est c. Vous croyez que je délire? Alors comment expliquez-vous la carte de joker collée sur la porte de mon garde-robe!?

Trempé comme un bouillon de poulet, j'arpente la pièce de long en large. Les choses se corsent.

Les pirates m'ont probablement identifié en épluchant les fichiers de mon disque dur. Tous mes travaux scolaires sont enregistrés sur le portable familial, dont mes compositions datant de l'école primaire. Vous savez, ces textes hautement intellectuels qui décrivent dans le détail les membres de votre famille et les pièces de votre maison, adresse incluse?

Je savais que le système scolaire finirait par causer ma perte…

Pour m'accorder autant d'attention, les cyberescrocs

me voient forcément comme une menace. Soit ils veulent me convaincre de joindre leurs rangs, soit ils projettent de me liquider. Étrangement, aucune de ces hypothèses ne me réjouit.

Je panique. Je manque d'air. Je m'imagine au fond du fleuve. Je me précipite vers une fenêtre ouverte afin de reprendre mes esprits. Je remarque alors une automobile suspecte, juste en face de chez moi. Un bolide noir, semblable à celui que conduisent les stars ou les gangsters. Malheureusement, je doute que Sidney Crosby se balade dans le quartier…

La marque de la voiture ?
Euh… Mon futur corbillard !?!

Dissimulé derrière le rideau, j'essaie de discerner une silhouette, un visage. Peine perdue. Les vitres sont teintées comme des lunettes solaires.

Un bruit me fait sursauter. Un malotru tente de forcer la serrure. Pas le temps de fuir, il entre dans la maison.

Au secours!!!

À pas feutrés, le voleur avance vers ma chambre. S'il pense que je vais me rendre docilement, il s'enfonce le doigt dans l'œil. Et jusqu'au coude.

L'arme idéale aurait évidemment été le traditionnel bâton de baseball. Le hic, c'est que je déteste le sport en général, et le baseball en particulier. Je n'ai même pas de bâton.

En revanche, je manie la guitare Rock Band comme personne. L'instrument de plastique pourrait m'être utile pour assurer ma survie. Adjugé!

La porte de ma chambre s'ouvre. Guitare de plastique en main, je pousse un cri style homme des cavernes et je tente d'assommer le cambrioleur. À l'attaque!

Maman, évitant la guitare de justesse : Mais qu'est-ce qui tu fabriques?!
Moi, haletant : Désolé, j'ai eu peur…

Maman, fine psychologue : Tu sembles nerveux, mon lapin…

Ah oui, tu trouves ?

Moi : Peut-être. En fait, j'ai quelque chose à t'annoncer. Une mauvaise nouvelle.

Maman, inquiète : Ne me dis pas que tu prends de la drogue. Tu sais bien que la nicotine peut anéantir tes poumons !

Je n'ai jamais consommé aucun de ces trucs, pas même une cigarette Popeye, mais ma mère garde le fort.

Moi : Mes poumons vont très bien, merci. C'est l'ordinateur qui ne va pas.

Maman, craignant le pire : C'est-à-dire ?

Moi, penaud : Que je ne l'ai plus. On me l'a volé.

Maman, exaspérée : Je t'avais pourtant interdit de sortir l'ordinateur de la maison ! Il faut toujours que tu en fasses à ta tête. Tu dépasses les bornes, Alexandre. Je n'aime pas te punir, mais tu ne me laisses pas le choix. Interdiction de jouer aux jeux vidéo pendant la prochaine semaine!

Sortir l'ordinateur de la maison? Ma mère n'a visiblement pas remarqué les signes d'effraction… .

> Un cambriolage qui passe incognito? Ma mère avait raison : il était grand temps que je fasse le ménage…

Traitez-moi de menteur, mais je crois que je vais endosser la version du pickpocket. Je ne vois pas pourquoi je devrais inquiéter ma mère avec cette petite histoire de vol à domicile.

Moi, coupable repentant : Tu as raison, maman… C'est ma faute. Je suis désolé.

La guitare toujours en main, je lance un regard par la fenêtre. La voiture a disparu.

CHAPITRE HUIT

MORT OU VIF

SAMEDI 6 MARS

10 h 11

Les membres du HaKAttaK sont moins débiles qu'ils ne le laissent croire. La preuve, ils n'ont pas volé mes biens de valeur, comme ma console PlayStation, mon cellulaire ou mon affiche de Green Day. Ils ont pris l'ordinateur.

Pourquoi des pirates de haut calibre se donnent-ils autant de mal pour voler un ordinateur hors d'usage ? Voici mes théories :

Hypothèse n° 1 : Ils craignent que je puisse le réparer et m'en servir contre eux.

Les faits : Ils ont raison. Je peux sans problème

ressusciter une machine cliniquement morte, qu'elle ait été infectée par un ver informatique ou écrasée par un camion-citerne.

Hypothèse n° 2 : Ils chipent mon arme de prédilection pour mieux me casser.

Les faits : Ils ont réussi. Sans mes logiciels, je me sens comme Lucky Luke sans pistolet, Astérix sans potion magique, Charlie Brown sans Snoopy. Je suis désarmé, vaincu. Pas d'autre choix que de me laisser mourir à petit feu devant un documentaire sur les limaces de mer.

Mon cellulaire sonne.

Max, étonnamment matinal : C'est moi. Qu'est-ce que tu faisais ? Toujours à la chasse aux pirates ?

Moi, un poil impatient : Tu sais bien que je n'ai plus d'ordinateur. Si je dois supporter une journée de plus dans ces conditions, je m'immole par le feu…

Max, fidèle défenseur de la vérité : Ta mère acceptera peut-être d'en acheter un autre. D'ailleurs, lui as-tu mentionné qu'une bande de dangereux escrocs te menacent ?

Moi, inflexible : Je ne voulais pas l'importuner avec ce genre de détails… Et toi, quoi de neuf ?

Max : Pas grand-chose. Je regardais la té…

Interruption soudaine.

Max, soudainement paniqué : Oh ! merde ! Es-tu proche d'une télévision ?

Moi, curieux : Moins de deux mètres, pourquoi ?

Max, préservant le suspense : Regarde au 49…

Je m'exécute comme un brave soldat.

Moi, rigolant dans ma barbe : Depuis quand tu écoutes la chaîne qui diffuse en boucle des avis de recherche de la police ?

Je cesse de ricaner, question de mieux observer la photo. Bizarre, ce type me dit vaguement quelque chose… Je plisse les yeux.

ZEBR TV

Les autorités recherchent activement
Alexandre Simard. Il est âgé de 16 ans.
Il mesure 1,80 mètre et pèse 77 kilos.
Il porte un jeans et un chandail Harry Potter.

CYBERCRIMINALITÉ

RECHERCHÉ

Communiquez avec le 1 800 425-2825
si vous avez des renseignements à son sujet.

Il est jugé dangereux et souffre d'une
dépendance maladive aux chaussons
aux cerises.

Cheveux bruns en bataille. Petit air ahuri. Filet de confiture au coin de la bouche. Pyjama Harry Potter.

Impossible...

C'EST MOI HIER!

En fond sonore, une narratrice commente la fiche.

Moi, abasourdi : KE-WOUAAA?! Mais c'est ridicule!!!

Max, imperturbable : Je sais! Même mouillé, tu ne pèses pas soixante-douze kilos.

Moi, secoué niveau huit sur l'échelle Richter : Je me fous de l'exactitude des mensurations : on m'accuse de crimes que je n'ai pas commis!!!

La femme poursuit son descriptif mensonger et conclut :

« Si vous avez des renseignements sur cet individu, veuillez contacter le responsable de l'enquête au 1 800 425-2825 ».

Max, flairant la bonne affaire : J'appelle tout de suite!

Moi, frappé d'indignation : Tu veux me livrer aux autorités ? !

Max, alias le faux frère : J'ai besoin d'un nouveau disque dur. Ne le prends pas mal, mais je ne peux pas rater cette chance. Je risque de décrocher une belle récompense en échange de mes informations privilégiées.

Silence consterné. Je pressens une crise cardiaque imminente.

Max, insulté au possible : Mais non, voyons! Je veux seulement savoir qui s'occupe de l'enquête.

Soupir de soulagement. Mon cœur reprend ses activités normales. Ce n'est pas tous les jours facile d'être un pirate...

10 h 42
Téléphone.

Moi, nerveux à l'excès : Tu en as mis du temps !
Tu philosophais avec les autorités ?!

Max, scandalisé : Ce ne sont pas les autorités. C'est une boîte vocale anonyme. J'ai même infiltré le système informatique de Bell, Vidéotron et tous les autres pour contre-vérifier. Le numéro n'appartient pas à un poste de police ni à un service gouvernemental. Il appartient à un particulier…

Inutile de me faire un dessin. Je sais bien qui se cache derrière la supercherie : les pirates du HaKAttaK. Les escrocs me traquent sans arrêt. Ils me photographient aux moments les plus humiliants. Ils infiltrent la chaîne des avis de recherche et me créent une ridicule fiche. Ils se servent de simples citoyens pour mieux m'espionner. Bref, ils jouent avec mes nerfs.

Cet affront m'inspire une nouvelle théorie.

Hypothèse nº 3 : Le cambriolage et l'avis de recherche sont des actes d'intimidation pure et simple.

Mes cyberennemis croient que je vais taire leurs magouilles parce que j'ai peur.

Les faits : Ils ont tort. Au départ, c'est vrai, je ne recherchais rien de plus qu'un défi informatique. Je ne voulais pas me mêler de leurs affaires proprement dites. Mais ces escrocs sont allés trop loin. L'avis de recherche, c'est la goutte qui fait déborder le vase. Le MP3 qui fait dépasser la limite de téléchargement permise. Le logiciel qui fait sauter le disque dur.

Ils veulent la guerre ? Ils vont l'avoir. Et ils réaliseront vite que je suis un adversaire de taille…

CHAPITRE NEUF

CAFÉ ET CAFOUILLAGE

DIMANCHE 7 MARS

8 h 11

Réveil aux aurores dans l'espoir de piéger les pirates avant 16 h. Je refuse de perdre une autre journée pour cette bande de gangsters. J'ai plusieurs choses autrement importantes au programme, comme de tailler mon crayon, boire un soda et me passer la soie dentaire.

La première étape ? Trouver un ordinateur flambant neuf. Certains inconscients affirmeront que je pourrais toujours utiliser les ordinateurs de la bibliothèque. Laissez-moi vous poser une question : est-ce que Ovechkin accepterait de jouer au hockey avec des patins de seconde main ? Bien sûr que non. Je suis un professionnel. Il me faut donc un équipement en conséquence.

J'ai d'ailleurs un excellent commanditaire en tête :
ma mère.

8 h 15

Première tentative de négociation

> **Moi, avec ma mine de beagle abattu :** Tu sais, depuis
> que je me suis fait voler l'ordinateur, j'ai peur pour
> mon avenir professionnel… De nos jours, il est
> carrément impensable d'effectuer des études sans
> un ordinateur décent.
>
> **Maman, le nez dans son café :** Mmmm….

C'est bon signe. Elle est d'excellente humeur pour un
dimanche matin.

> **Moi, portant le coup fatal :** Tu crois qu'on pourrait en
> acheter un autre ? Pour sauver mon avenir, je veux
> dire ?
>
> **Maman, sortant la veille rengaine habituelle :** Voyons,
> Alex, on peut tout juste payer les factures… Sauve
> ton avenir en utilisant ceux de la bibliothèque.

Échec. J'ai probablement sous-estimé le degré
de difficulté des pourparlers. Je vais devoir sortir
l'artillerie lourde : mes irrésistibles crêpes aux bleuets.

9 h 32
Deuxième tentative de négociation

Après plusieurs minutes de dur labeur aux fourneaux,
je glisse une pleine assiette de crêpes chaudes sous
le nez de ma mère.

> **Maman, injustement suspicieuse :** Tu as quelque chose
> à te faire pardonner ?
> **Moi, stratégiquement gentil :** Eh bien… Je ne te gâte
> pas assez souvent !
> **Maman, officiellement accusatrice :** Ne sois pas
> ridicule… Qu'est-ce que tu manigances, Alex ?

Satané instinct maternel… Peu importe, je suis
persuadé que la tactique est bonne. Après un petit-
déjeuner de crêpes aux bleuets, ma mère retrouvera
ses esprits et acceptera de me payer un ordinateur. Je
veux bien accepter un compromis, comme repeindre

le salon, nettoyer le garage ou me priver d'allocation pendant une année. Mais je n'ai pas la plus petite intention de travailler sur un ordinateur bicentenaire de la bibliothèque. Je serai inflexible sur ce point.

9 h 55

En direct d'un ordinateur bicentenaire de la bibliothèque.

Mon but? Essayer de découvrir les ambitions du HaKAttaK. Je tape un mot-clé dans le moteur de recherche. La machine semble émerger d'un long coma informatique. Elle vibre, elle grogne, elle hyperventile… Les données se téléchargent à vitesse de sénateur.

9 h 58
J'attends toujours…

10 h 01
Et encore…

10 h 03
Zzzzzzz…

Quarante-deux années plus tard

J'ai beau déployer des efforts surhumains, il m'est impossible d'effectuer quoi que ce soit avec cette machine datant de la préhistoire!

Mon cellulaire remue en tous sens. Un message texte de Max :

C tu ce que SCC veut dire?

Je n'ai pas le temps pour les devinettes :

??????????

Nouvelle vibration :

= Service correctionnel du Canada. Et Beaver Hill, Drumheller, Westmorland et Millhaven ne sont pas que des villes. Ce sont des prisons.

Impressionnant… Il faut dire que Max s'intéressait au milieu criminel à l'époque où mes propres activités se limitaient aux énigmes des boîtes de céréales. Opération Passoire... Paralysie des systèmes de sécurité... Service correctionnel du Canada... Réunir les piliers du HaKAttaK...

Tout indique que mes nouveaux amis complotent une évasion de prisonniers, probablement des cyberterroristes sans foi ni loi.

> Tu te surpasses !!! G l'impression que le HA veut sortir c collègues de prison... T d'accord ?

Max répond illico :

> Yep. On fait quoi ? On va voir la police ?

Excellente question. Je veux les déjouer, mais j'ignore comment y arriver. Est-ce que je devrais dénoncer leurs intentions à la police ? Contrecarrer moi-même leur plan machiavélique en boguant leur ordinateur ? Je patauge en plein doute...

Plongé dans ces questionnements existentiels, je

regarde par la fenêtre. Je vous laisse deviner ce qui s'offre à ma vue… La fameuse voiture noire. Elles n'ont pas de vie, ces petites bêtes-là ! Elles me filent même un dimanche matin !!!

J'alerte Max de la situation :

HA = devant la biblio !!! Kesse que je fais ?!?

Mon ami me réécrit tout de go :

Sors par-derrière. On se retrouve au GP.

Direction le Graham-Patate !

CHAPITRE DIX

QUAND LE PLAN FAIT PATATE...

10 h 15

J'enfouis nerveusement mes affaires dans mon sac et me dirige vers la sortie arrière de la bibliothèque.

&!%$#@*&?%!!!

Un homme à la barbichette blanche fait le guet devant la porte. Veston chic, lunettes solaires, cellulaire, allure sinistre... Mon petit doigt me dit qu'il n'est pas ici pour la rencontre hebdomadaire du club de lecture.

Pas le choix, je dois accepter la vérité : je suis cuit comme un poulet rôti.

Attendez un instant... J'hallucine ou Triple-Mou déambule gentiment entre les rayons de la bibliothèque ?

J'ignorais que cet abruti…

1) savait lire autre chose que le menu de la cafétéria.
2) portait fièrement la coiffe médiévale en dehors de l'enceinte scolaire.

Max ne me croira jamais… Mieux vaut prendre une photo avec mon cellulaire, question d'immortaliser cet attendrissant moment.

Le résultat n'est pas trop mal :

Cette révélation-surprise me donne une idée…

Moi, sortant d'entre les livres : Robin des Bois sait que tu copies son style vestimentaire ?

Triple-Mou, tremblotant sous son chapeau : Quoi ? C'est la journée médiévale à la bibliothèque ! Ton hamster sait que tu copies ses mollets de ballerine ?

Un hamster avec des mollets de ballerine ? Mon tortionnaire est visiblement ébranlé pour me sortir une insulte aussi faible…

Moi, imperturbable malgré la tentative de diversion : Écoute, je n'ai pas le temps de bavarder… Soit tu me refiles tes vêtements, soit j'affiche cette photo aux quatre coins de la ville.

Je lui montre la preuve compromettante.

Son visage se crispe, comme s'il essayait de simuler une quelconque activité mentale. Après quelques secondes de cet éprouvant exercice intellectuel, Triple-Mou abdique. Il me refile ses vêtements.

Parce que je suis gentil, je lui tends mon t-shirt en échange. Bon d'accord, il lui arrive au nombril, mais c'est l'intention qui compte. Pour ma part, le fait de porter un costume éléphantesque me laisse totalement indifférent. Depuis l'épisode du pyjama Harry Potter, je n'ai plus aucune illusion quant à ma réputation vestimentaire.

Sous le regard nerveux de Triple-Mou, j'efface la photo gênante de mon cellulaire. Par précaution, j'avais pris soin de sauvegarder une copie du fichier, quelques secondes auparavant. Je suis gentil, mais je ne suis pas idiot. La photo pourrait toujours servir en cas de problème avec notre cher TM.

10 h 25

Je m'approche de l'entrée principale et j'évalue la situation. Évidemment, la voiture des gorilles colle toujours. Qu'est-ce qui m'a pris d'infiltrer un site de pirates ? Je n'aurais pas pu me contenter de jouer au poker en ligne, comme un adolescent normal ?

La sueur coule en cascade dans mon dos. J'ignore si je dois blâmer les collants médiévaux, le soleil cuisant ou l'idée d'une mort douloureuse aux mains de dangereux criminels.

Une chose est sûre, il est trop tard pour reculer. Si je reste à la bibliothèque, ils finiront par s'impatienter et me régleront mon compte dans la section des documentaires.

J'ouvre la porte vitrée. Mon premier réflexe serait de me sauver en courant, mais j'imagine que ce ne serait pas très subtil. Je dois adopter une démarche normale. Ma survie en dépend.

Pied gauche, pied droit… Dou-ce-ment!

Je m'éloigne du stationnement. La voiture ne démarre pas. Excellente nouvelle! Je presse le pas. Une fois rendu au coin de la rue Notre-Dame, je tourne à droite. L'envie de regarder en arrière me démange, mais je crains d'attirer l'attention en me conduisant comme un fuyard moyenâgeux. Déjà que deux piétons me montrent du doigt en rigolant… Super journée.

Tel un mirage au bout de la rue, la friterie Graham-Patate se dresse devant moi. Je n'ai jamais été aussi heureux de voir cette horrible devanture jaune moutarde.

Avant de me précipiter à l'intérieur, une dernière inspection s'impose. Aucune voiture suspecte en vue. Mission accomplie!

Graham-Burger dlx   6,78$

99$

Graham-Burger   2,99$

9$

10 h 44

L'établissement est désert, ce qui, pour un non-initié, ne présage rien de bon quant à la qualité de la nourriture. Ne vous fiez pas aux apparences. Dans quelques heures, ce haut lieu de la gastronomie fourmillera de grands mangeurs en quête de gras saturé. Je suis d'ailleurs persuadé qu'un jour les scientifiques découvriront que la combinaison gras-sel stimule les fonctions cérébrales.

Mon ventre gargouille. J'imagine qu'il est trop tôt pour savourer un Graham-Burger… D'un autre côté, à Paris, il doit être plus de 16 h… Et il faut bien m'occuper en attendant Max… Vendu !

Direction le comptoir pour commander. Je salive comme un labrador devant une croquette au similipoulet. Laissez-moi vous décrire le délice : un hamburger avec fromage, bacon, condiments au choix…. et rondelles d'oignons frits ! Oui, vous avez bien lu, les oignons frits sont dans le Graham-Burger !

Un gaillard format joueur de football prépare ma commande. Avec sa pilosité abondante, il ressemble beaucoup à Mademoiselle Carmen, le caniche de mon deuxième voisin. Excepté les sourcils. Les siens sont si fournis qu'on devrait en parler au singulier.

Chef-Yéti, d'humeur loquace : C'est original, ton chapeau… Habituellement, les jeunes portent plutôt une casquette.

Habituellement, les gens ont un espace entre les deux sourcils.

Moi, trop affamé pour commenter les dernières tendances mode chez les jeunes : Euh… Oui, peut-être.

Je m'installe à la table du fond. Par la fenêtre, j'entrevois Max qui tire la porte et entre dans l'établissement. Il avance d'un pas nerveux et jette des regards panoramiques, comme s'il craignait un assaut imminent.

Mon meilleur ami me remarque et m'avise de son arrivée en agitant les bras de gauche à droite. Il ressemble à un signaleur devant un avion, mais sans le gilet fluorescent.

Il s'assoit en face de moi et fronce les sourcils. Il semble chercher le petit truc différent chez moi.

Max, fin renard : Depuis quand tu donnes dans le genre médiéval ?

Je lui raconte l'embuscade du HaKAttaK et ma rencontre fortuite avec Triple-Mou quand, soudain, mon cellulaire vibre. Un message texte.

Si vous tenez à la vie, restez loin du poste de police. Faites attention. Nous vous suivons de près...

Un charmant joker conclut la mise en garde.

J'avale ma bouchée de travers. D'abord mon ordinateur. Ensuite les avis de recherche. Maintenant mon cellulaire. Pas de doute, les cyberescrocs n'entendent pas à rire.

Max, dans une vive réaction au texto-menace : Tu ne dois surtout pas céder à leur chantage!!! Il faut tout dire à la police. C'est ton unique chance. Seul, tu ne peux rien contre le HaKAttaK.

Il a raison. Tout me laisse croire qu'il serait stupide d'engager un corps à corps avec les cyberforces du mal :

1) Je n'ai aucun acolyte. En cas d'attaque, Max ne me serait d'aucune utilité. Il ne sait ni se battre, ni se défendre. Je l'ai même déjà surpris en train de verser une larme parce qu'il s'était accidentellement assis sur un papillon de nuit…

2) Ma force physique me permet tout juste d'ouvrir un pot de confiture.

3) J'ai les réflexes du koala sous somnifère.

Traitez-moi de lâche si vous voulez, mais je préfère refiler le dossier aux autorités plutôt que de finir ma vie dans le coffre d'une voiture blindée.

Moi, armé de mon cellulaire : J'appelle le 911. Qu'on en finisse une fois pour toutes.

Max, vif comme l'éclair : Mauvaise idée. Le HaKAttaK surveille ta ligne.

Moi, me levant d'un bond : C'est vrai. Mieux vaut piquer un sprint au commissariat le plus proche.

Max, gardant son sang-froid : Minute, Rambo ! Tu ne peux pas sortir dans cet accoutrement. Si ça se trouve, ils savent déjà que tu arpentes les rues en guenilles d'époque…

Il me montre Chef-Yéti du doigt. L'employé placote au téléphone. Je rêve ou l'unisourcil me jette des regards à la dérobée ? !

Max, précautionneux : On ne sait jamais, c'est peut-être un fidèle téléspectateur des avis de recherche.

Je n'avais pas envisagé cette hypothèse… Vous voyez ? Les réflexes du koala sous somnifère.

Max, dressant notre plan de bataille : Si tu souhaites te rendre au poste de police en un morceau, il te faut un nouveau camouflage. Quelque chose de plus efficace que ton costume ridicule. Heureusement, j'ai apporté le déguisement parfait. Allons loin des regards indiscrets.

Je fonce vers le stationnement, Max sur les talons.

Une fois dehors, mon complice déploie son matériel de guerre : une perruque blonde, un blouson rose, une microjupette fuchsia et des talons hauts. Il se moque de moi ?!

Moi, montant la voix d'une octave : Tu as dévalisé la garde-robe de Lady Gaga ?!

Il me dévisage, un peu aigri par mon manque d'enthousiasme.

Max, aussi défensif qu'Andrei Markov : Tu pensais échapper à la surveillance de la CyberGestapo en portant une casquette des Expos ? Si tu veux sauver ta peau, il faut jouer le tout pour le tout.

Mouais… Je suppose qu'il marque un point. Je pousse un soupir de frustration, question de lui montrer que j'accepte à contrecœur.

Coup de pied à droite, déhanchement à gauche… Les cheveux en bataille, je livre un combat sans merci en maudissant l'inventeur de la minijupe.

Max, impatient de l'autre côté de la voiture qui me sert de paravent : Et puis, est-ce que ça fonctionne ?

Si l'objectif est de me faire passer pour une barbe à papa, alors, oui, c'est réussi.

Moi, essoufflé par ces contorsions dignes d'un numéro de cirque : La prochaine fois, avise-moi un peu d'avance. Je pourrai m'épiler les jambes et me mettre un peu de mascara…

Assez de sarcasme. Si je reste optimiste, je peux toujours m'encourager en me disant que je ne mourrai pas assassiné par des pirates informatiques. Je vais tout simplement mourir de honte.

11 h 20

J'ai toujours trouvé les filles incompréhensibles, mais je tiens maintenant la preuve qu'elles sont carrément folles. Pourquoi enfilent-elles des échasses au lieu de porter des souliers normaux ? Ce sont de vrais instruments de torture !!! Dieu merci, le poste de police est tout près. Avec un peu de chance, il devrait me rester un ou deux orteils à la fin de la journée.

Pour ne pas éveiller les soupçons, il a été entendu que Max viendrait me rejoindre dans quelques minutes. De toute son existence, il n'a jamais été vu au bras d'une grande blonde, ni même d'une fille tout court. Ce serait trop suspect.

Sans réfléchir aux affreuses souffrances qui m'attendent en cas d'échec, je m'éloigne courageusement de mon meilleur ami. J'ai l'impression d'avoir un melon d'eau coincé au fond de la gorge.

Je tente de marcher normalement, ce qui relève du miracle avec ces baguettes asiatiques qui me servent de talons. J'entends une vitre électrique qui s'abaisse. Je résiste à la tentation de me retourner.

On se calme… On respire…

Tous mes muscles se raidissent quand un sifflement strident retentit. Pas le sifflement d'une balle, non… Le sifflement admiratif d'un abruti en mal de tendresse. J'anticipais plutôt une jambette, un coup de poing ou une quelconque prise de lutte.

À l'intérieur du véhicule, une camionnette bleue, une femme beugle sa désapprobation. Je profite de cette altercation conjugale pour m'éloigner au plus vite. Pourvu que mon nouvel admirateur ne me suive pas dans l'espoir d'obtenir mon numéro de téléphone.

Trois édifices plus tard, caché derrière une haie de cèdres parfaitement taillée, le poste de police se dresse devant moi. Enfin, la mascarade est terminée.

CHAPITRE ONZE

BONJOUR LA POLICE?

11 h 43

Les forces de l'ordre m'accueillent avec grand professionnalisme : certains policiers étouffent des fous rires sur mon passage, d'autres me jettent des regards inquiets comme si je sortais d'un hôpital psychiatrique...

La réceptionniste écoute la raison de ma visite d'un air sceptique et me prie de patienter devant la porte d'un certain Marc Hénault, responsable des délits informatiques.

Les pieds m'élancent terriblement. J'ouvre mon sac et change ces échasses sadiques pour mes bonnes vieilles chaussures de sport. Ce n'est quand même pas une simple paire de souliers qui va trahir mon identité.

Pour passer le temps, j'imagine les nombreuses répercussions qu'aura ma dénonciation. Les pirates du HaKAttaK seront appréhendés. Les prisonniers demeureront derrière les barreaux. Les rues du pays resteront sûres. Le ministre de la Sécurité publique me remettra une médaille d'honneur pour me remercier de tous les risques que je cours au nom des citoyens canadiens.

Un colosse sans denture interrompt ma douce rêverie :

Agent-Édenté : Je peux vous aider, jeune homme ?

Il insiste sur le dernier mot et me sourit de toute son absence de dents.

Moi, ignorant le sarcasme : J'attends l'agent Hénault. Je veux faire une déposition.

Agent-Édenté : Je travaille avec Hénault. Il est pris par une enquête. Je vais m'occuper de recueillir votre déposition. Allons dehors pour discuter tranquillement.

Je suis docilement le policier vers un banc public, un peu plus loin.

Moi, soulagé que cette terrible aventure se termine enfin : J'ai surpris une conversation de pirates informatiques qui menacent d'infiltrer le système de sécurité des prisons du pays pour libérer des détenus. Ils me traquent depuis des jours. Ils ont même volé mon ordinateur !

Agent-Édenté, tranchant : Je ne pense pas que nous puissions faire quoi que ce soit pour vous.

Mais où étais-je tombé ? Au royaume des abrutis en uniforme ?

Moi, offusqué : La police ne peut pas protéger les honnêtes citoyens ? !

Agent-Édenté : Vous n'avez pas de preuves de ce que vous avancez et votre minijupe n'aide en rien votre crédibilité.

Je trouve plutôt injuste de me faire disqualifier par un policier qui oublie de mettre son dentier avant de partir au boulot. Sans compter que son pantalon lui arrive à peine aux chevilles et que sa chemise est plissée comme un vieux pruneau.

C'est alors qu'un tatouage sur son bras droit capte mon attention. Le voici :

Ça vous dit quelque chose ? C'est le sigle du HaKAttaK !!!

Les pirates ont non seulement anticipé que je viendrais les dénoncer aux autorités, mais ils ont envoyé un de leurs disciples pour m'en empêcher, voire pour me zigouiller sur place. Et moi, pauvre inconscient, je n'ai rien remarqué. Ni son pseudo-uniforme halloweenesque, ni son petit stratagème pour m'éloigner des vrais policiers. J'ai mordu à l'hameçon comme une truite affamée.

À l'inverse, Agent-Édenté n'a pas été dupe de ma métamorphose. Il m'a reconnu. J'aurais peut-être dû garder les talons hauts, finalement…

Qu'est-ce que j'ai fait en découvrant la véritable identité du policier ? Ce que n'importe quel gentil garçon de mon âge aurait fait : j'ai paniqué.

Tant pis pour la médaille d'honneur. Sauve-qui-peut !

CHAPITRE DOUZE

...

COURS, ALEX, COURS!

11 h 59

La peur au ventre, je me précipite loin de l'établissement. La brute se lance à mes trousses. Agent-Édenté file aussi vite que ses kilos le lui permettent et me crie qu'il veut seulement discuter. Bien sûr… Vous croyez qu'il veut m'entretenir de mon testament ou de mes préarrangements funéraires ?

Sans même regarder en arrière, je cours jusqu'au coin de la rue. Le feu est rouge, mais je m'en fous. Je traverse le boulevard et risque de me faire happer par trois voitures qui roulent à pleine vitesse. Une minifourgonnette heurte le pare-chocs d'un autobus. On jurerait des autos tamponneuses, mais sans l'élément plaisir. S'ensuit un charmant concert de klaxons, de crissements de frein et de protestations enragées.

Chauffeur-Moustachu, en proie à une soudaine crise de rage au volant : Retourne à l'asile, espèce de malade!!!

Je ne prends même pas le temps de répliquer, ce qui démontre bien l'état de panique dans lequel je me trouve. J'accélère le rythme et essaie de dévier ma trajectoire pour semer mon poursuivant. Quel athlète je fais! Quand je pense à tous ceux qui riaient de moi dans les cours d'éducation physique…

Quelques maisons plus loin, un homme bedonnant taille amoureusement ses arbustes. Selon mes savantes déductions, sa cour arrière devrait donner sur le boulevard des Seigneurs, une artère particulièrement achalandée le week-end. Je décide de couper à travers son terrain, question de m'immiscer subtilement dans un groupe de joyeux vacanciers.

Citoyen-Jardinier, se sentant opprimé dans ses droits :

Hé! C'est une propriété privée!! Où est-ce que tu penses aller, comme ça?

J'aimerais bien le savoir. En réalité, je n'ai aucune idée de la direction à emprunter. Je n'ai aucun plan. Je me contente de galoper ici et là, comme un pauvre lapin pris en chasse.

Je traverse la pelouse (impeccable), bondis par-dessus une large platebande de fleurs (éclatantes) et me faufile entre les branches d'un rosier grimpant (douloureusement épineux). Je perds ma perruque au passage. Bon débarras!

Mon hypothèse était bonne : me voici au beau milieu d'un marché public où une foule compacte profite du soleil pour s'acheter des produits de la ferme. Appuyé sur sa canne, un vieil homme hume les tomates avec sa femme, une mamie coquette et souriante à souhait. Si je n'étais pas en danger de mort, je prendrais certainement un instant pour m'attendrir devant ce joli spectacle. Mais puisque je n'ai pas le luxe d'être en sécurité, je m'infiltre dans un groupe de passants qui déambulent à proximité du kiosque. Je dois être un peu brusque, car les acheteurs poussent des exclamations de mécontentement. Le vieillard aux tomates, également surpris par la manœuvre, perd l'équilibre et se retrouve au sol, recroquevillé comme une crevette dans la poêle.

Mamie-Coquette, enragée sous son bonnet fleuri : Vous n'avez pas honte de renverser un homme aussi fragile que mon Henri-Paul ?!

Elle a raison : je suis un monstre !!! N'écoutant que mon grand cœur, je reviens sur mes pas. J'agrippe ledit Henri-Paul et tente de le remettre sur pied.

Au lieu de louanger mon extrême délicatesse, Mamie-Coquette crie vengeance. Elle tente de m'assommer avec son sac à main. Aïe ! Qu'est-ce qu'elle traîne là-dedans, les ossements de ses dernières victimes ?! Le vieil homme se joint à la fête et me couvre de violents coups de canne dans les genoux. Il n'est pas fragile du tout, Henri-Paul!

Oubliant ce tumulte quelques secondes, je réalise que le pirate édenté se rapproche dangereusement de ma position géographique. Ça m'apprendra à vouloir être gentil avec les représentants du troisième âge…

En fait, mon poursuivant est si proche que j'entends sa respiration d'asthmatique chronique. Le géant tend son bras et saisit mon blouson rose dans l'espoir de me retenir. Je me dégage de son emprise et reprends ma course entre les kiosques de fruits et de légumes. Je fracasse accidentellement une caisse de cantaloups qui roulent en tous sens.

Agent-Édenté tente d'éviter les obstacles fruités, en vain. Il glisse sur un cantaloup et effectue un plongeon acrobatique vers le sol. Excellent, je viens de gagner quelques secondes!

Au bout de l'allée, une clôture de fer sépare le marché d'une sombre ruelle. Mon idée : courir me cacher derrière un bac à ordures et appeler Max à la rescousse.

Une fois dans mon refuge puant, j'essaie d'évaluer la situation avec calme et détachement. *Primo*, ces déchets ne sont pas de la première fraîcheur. *Deuzio*, j'ai beau scruter les environs, je ne vois mon assaillant nulle part. Peut-être qu'il s'est fait assommer par Mamie-Coquette et qu'il est mort? Mais ne soyons pas trop optimistes…

Je m'apprête à contacter Max quand je l'aperçois, tout au bout du cul-de-sac. La fameuse voiture noire, fidèle au poste, qui me barre le chemin. Comment ont-ils pu me retracer? Ils m'ont greffé une puce GPS pendant mon sommeil?

Je ne vois aucune échelle, aucune cachette, aucune fuite possible. C'est l'impasse totale. Ma vie est terminée.

GAME 💀 OVER

CHAPITRE TREIZE

LA PARTIE EST TEMINÉE

12 h 21

Deux hommes format géant sortent de la voiture. Ils portent des vestons chics et des lunettes noires. Le crâne du conducteur reluit comme une boule de quilles sous le soleil. Pour mieux visualiser, imaginez un œuf à la coque avec une cravate rayée.

À ce stade, j'admets que j'ai autant de chances de m'en sortir que Triple-Mou en a de remporter un concours de Miss Univers...

Son partenaire, beaucoup plus âgé, porte une longue barbichette poivre et sel qui lui donne un petit air de famille avec les chèvres de montagne. Le mec de la bibliothèque.

Chevrette-Barbue, tentant de m'amadouer comme un enfant : Monte dans la voiture, Alexandre. Nous ne te voulons aucun mal. Nous souhaitons seulement discuter avec toi.

Je suis peut-être assez imbécile pour me retrouver coincé dans une ruelle sans issue, mais tout de même pas au point de croire un tel mensonge.

Ils espéraient que je me rende sans faire d'histoires. J'avais un autre scénario en tête…

Moi, feignant la surprise : Regardez là-bas ! C'est Angelina Jolie !

Je n'ai pas le temps de profiter de ma diversion qu'en deux temps, trois prises de lutte je me trouve immobilisé par une impressionnante clé dans le dos.

J'aurais dû dire Karine Vanasse. Plus crédible.

Essouflé par ce petit combat du dimanche, Œuf-Cuit-Dur m'introduit de force dans la voiture.

Je m'attendais à ce qu'il me pousse brutalement sur la banquette, voire qu'il me cogne la tête sur le haut de la porte, mais non. Excepté mes bras qui sont un peu endoloris, je suis intact. Peut-être veulent-ils me préserver pour leur grand chef ?

Les deux géants prennent place à l'avant, verrouillent les portières et démarrent le moteur. Ils me conduisent sans doute au repaire du HaKAttaK, question de m'achever en toute discrétion.

En sourdine, la radio présente une chanson de Céline Dion. Le conducteur, en la personne d'Œuf-Cuit-Dur, tapote les doigts sur le bord de la fenêtre. Est-ce que je viendrais de découvrir le plus viril des admirateurs de Céline ?

J'ai alors une idée de génie : et si je copinais avec mes kidnappeurs ? Si la tactique fonctionne, je pourrais m'en sortir indemne. Quel monstre oserait tabasser un frère ?

Moi, sur le ton d'une conversation entre amis : Elle est bien, sa nouvelle chanson. Vous aimez son dernier album ?

Dans le rétroviseur, Œuf-Cuit-Dur me lance un regard mauvais. Je suppose qu'il a honte de se passionner pour une chanteuse romantico-pop-quétaine. D'un geste brusque, le conducteur éteint la radio. Le message est clair : ses goûts musicaux ne sont pas matière à discussion. Bravo, Alex, bien joué. Je ne pouvais pas me contenter de bavarder météo, comme tout le monde ?

Le voyage me semble long, interminable. Je sais que je devrais me concentrer sur notre trajet, sauf que je suis si préoccupé par l'idée de ma mort que je perds le fil des routes empruntées.

La bagnole s'immobilise finalement entre un casse-croûte et une pharmacie. Je m'attendais plutôt à un bunker perdu dans un champ, mais, après réflexion, l'emplacement est plutôt bien choisi. Je suis sûr que personne ne se doute des complots informatiques qui se trament presque sous leurs yeux.

Je me demande si mes assaillants m'accorderont un hamburger-frite comme dernière volonté...

La voiture s'engouffre dans un stationnement souterrain. Œuf-Cuit-Dur m'ouvre la portière et me garde immobile en me tenant solidement les bras. Je n'ai pourtant pas la plus petite intention de prendre la fuite. J'en ai ma claque de me sauver : j'ai les pieds en bouillie, les muscles en compote et, avouons-le, je suis plutôt nul en évasion. Je préfère affronter mon triste sort, la tête haute, les genoux tremblants.

Chevrette-Barbue m'invite à monter dans l'ascenseur. Il appuie sur le bouton du sixième étage. Peut-être qu'ils veulent me jeter en bas de l'édifice et déguiser mon meurtre en suicide. Après l'épisode du pyjama Harry Potter, il ne serait pas trop difficile de me faire passer pour un dérangé... Surtout que je porte toujours un blouson rose et une minijupe.

Nous traversons des couloirs blancs, immaculés. Les deux gorilles m'emmènent dans une pièce éclairée par des néons. Je m'attendais à ce qu'ils me ligotent sur la chaise en bois ou qu'ils me braquent un projecteur aveuglant en plein visage, comme dans les films policiers, mais ils n'en font rien.

Chevrette-Barbue, se montrant plutôt amical : Je suis Christopher Martel. Tu peux m'appeler Chris, si tu préfères.

Pour tout dire, j'ai d'autres idées de surnoms qui lui iraient beaucoup mieux. Assassin, par exemple.

Œuf-Cuit-Dur, passant aux choses sérieuses : Où étais-tu le matin du vendredi 5 mars ?

Je réprime l'envie de détendre l'atmosphère en affirmant que j'explorais tranquillement les fonds marins en Nouvelle-Guinée.

Moi, docile et coopératif : Chez moi. Devant mon ordinateur.

Œuf-Cuit-Dur, hurlant : Et que faisais-tu devant ton ordinateur ? Tu travaillais pour un groupe de pirates informatiques ?

Juste au moment où je me disais que j'en avais ras le bol de toute cette histoire, j'avais droit à une double ration !

Moi, scandalisé par l'accusation : Jamais de la vie !

Œuf-Cuit-Dur, insistant comme un vendeur à domicile :
Tu veux me faire croire que tu ne connais pas le
HaKAttaK ?

Est-ce que je peux me rouler en position fœtale et
rester caché sous la table jusqu'à la fin des temps ?

Moi, sur le point de défaillir : Non… Enfin, oui, je les
connais… Mais seulement par hasard…

Chevrette-Barbue, intrigué : Par hasard ? Et que sais-
tu sur eux ?

Nous y voilà. Les cyberescrocs veulent vérifier tout
ce que je connais de leurs intentions avant de me
plonger dans un irréversible coma. Mes minutes sont
comptées.

Moi, ferme comme des pectoraux de culturiste :
Rien du tout.

Je vais garder le silence, envers et contre tous.

Chevrette-Barbue me jette un regard inquisiteur et hausse son sourcil dans une grimace menaçante.

Je n'en peux plus de ces insoutenables moyens de pression! Une vraie torture mentale!!!

Moi, sans aucune retenue : Pitié, ne me faites pas de mal! Je sais seulement un ou deux détails sans importance. Des broutilles, vraiment. Quelque chose qui aurait à voir avec la libération de prisonniers partout au pays, mardi prochain, à 23 h.

Chevrette-Barbue et Œuf-Cuit-Dur, en chœur : Peux-tu répéter?!

Moi, haletant : Mardi, 23 h. Le HaKAttaK prévoit libérer des prisonniers en infiltrant le système informatique des établissements pénitentiaires. Beaver Hill, Drumheller, Westmorland et Millhaven, entre autres. Mais je vous jure, je n'ai rien dit à personne!

Œuf-Cuit-Dur, sceptique : Personne? Vraiment?

Moi, déballant mon sac : Bon, d'accord, j'en ai peut-être glissé un mot ou deux à mon meilleur ami. Mais c'est tout! Laissez-moi partir et je vous donne ma parole qu'on ne dira rien!

Les deux hommes échangent un regard entendu. D'un pas pressé, Œuf-Cuit-Dur quitte la pièce. Je suppose qu'il s'en va chercher un détecteur de mensonge ou, pire, une seringue remplie d'un poison mortel.

Chevrette-Barbue, avec la sagesse et la barbiche de Confucius : Alex, nous te surveillons depuis des jours, tout comme nous surveillons les membres du HaKAttaK.

KE-WOUA ?! Chevrette-Barbue n'est pas de mèche avec le HaKAttaK ? Qui sont ces types, au juste !?!

Chevrette-Barbue, lisant mes pensées comme un télépathe : Nous sommes des agents de la cellule canadienne contre le cyberterrorisme. Le HaKAttaK est un ennemi bien organisé et dangereux. L'emplacement de leur site change d'heure en heure. Nous savions qu'ils préparaient une cyberattaque nationale. Un de nos agents de surveillance a détecté la présence de ton ordinateur, le 5 mars, sur leur site.

Le gouvernement ? Une cellule luttant contre le cyberterrorisme ? Tranquillement, les morceaux du casse-tête se mettent en place. Pendant tout ce temps, la voiture noire, c'étaient eux. Alors que le HaKAttaK volait mon ordinateur, diffusait mon avis de recherche ou me tendait un piège au poste de police, les agents gouvernementaux me rôdaient autour, un peu comme des gardes du corps anonymes.

Œuf-Cuit-Dur, de retour dans la pièce : Le petit a raison. Apparemment, trois directeurs de pénitenciers avaient déjà remarqué des activités anormales sur leur réseau informatique. Le HaKAttaK prépare sans doute le terrain en prévision de mardi. Nos agents renforcent la sécurité et prennent toutes les précautions nécessaires pour capturer les pirates.

Son collègue hoche la tête en guise d'approbation.

Chevrette-Barbue, revenant à ses moutons : Nous aurions besoin d'un gars comme toi, Alex. Que dirais-tu de devenir un *hacker* double, pour la cellule ? Pas à temps plein, bien sûr. Mais tu pourrais nous donner un coup de main pour certaines missions particulières.

Moi, réfléchissant à haute voix : Devenir l'ennemi des criminels les plus dangereux du Web ? Risquer, au quotidien, de me faire menacer, traquer, kidnapper ou torturer ? Qu'est-ce qu'on attend pour commencer ! ?

Œuf-Cuit-Dur, me tendant une mallette noire : Il te faut d'abord une arme de pointe...

J'ouvre la mallette, craignant de trouver un pistolet dont je ne saurais me servir. Erreur ! Il s'agit d'un ordinateur dernier cri, tout l'équipement compris ! C'est le plus beau jour de ma vie ! ! !

13 h 58

Après avoir discuté des détails avec Chris (alias Chevrette-Barbue) et Tom (alias Œuf-Cuit-Dur), je me dirige dehors, mallette en main. Je prends quelques secondes pour réaliser ce qui m'arrive. Je viens tout juste d'être recruté comme pirate au sein d'une cellule gouvernementale luttant contre le cyberterrorisme. Je suis le plus jeune *hacker* double de toute l'histoire !

ARMES

GROS CALIBRES

BIGBOSS BFG
RANG 10 NV10
★

LAW
RANG 2 NV1
< X X X X ◇ >
★

FIM-43
RANG 3 NV2
< X X X X ◇ >
★

C. GUSTAV
RANG 3 NV2
< X X X X ◇ >
★

FUSIL EAU
RANG 1 NV1
< X X X X ◇ >

✖	MUN./NB	☢	✿	⟁	KLL/FX
S	▸ X 1000	S	▷	A	💀 💀 💀 💀 💀 💀
S	▸ X6	S	▷	∕	💀 💀 💀
S	▸ X4	S	▷	∕	💀 💀
S	▸ X3	S	▷	∕	💀
∕	▸ X10	S	▷	∕	🐩

Autre raison de me réjouir, les plans du HaKAttaK ont été court-circuités. Mardi, comme prévu, ils tenteront d'infiltrer le système informatique des pénitenciers, mais, grâce à la protection accrue, j'ai la certitude qu'ils échoueront et se feront retracer par la cellule.

Téléphone. Un message texte de Max. Il doit me croire mort à l'heure qu'il est…

T ou ?! J'arrive avec mon produit antibactérien en aérosol!!!

Sacré Max! Toujours prêt à défendre les innocents en aspergeant les malfaiteurs d'un produit toxique.

Je lui réponds :

Moi = OK… HaKAttaK = KO… Mais garde la bombonne à proximité : on pourrait bientôt en avoir besoin…

À SUIVRE...

LE Z

Aujourd'hui

ARRES'
D'UN G
DE PI

Ci-dessus : Un des pirates au moment de son arrestation

ATION
ROUPE
ATES

UN DANGEREUX GANG DE PIRATES
INFORMATIQUES NOMMÉ

HaKAttaK

A ÉTÉ DÉMANTELÉ HIER,
EN FIN DE JOURNÉE, ALORS QUE LES ESCROCS
PROJETAIENT DE LIBÉRER LES PRISONNIERS
DE PLUSIEURS PRISONS DU PAYS.

« Avec les preuves
qui pèsent contre eux,
nous sommes persuadés
que ces pirates se
retrouveront derrière les
barreaux »,
affirmait l'agent Martel.